Norah Jones

feels like home

2 Sunrise

8 What Am I to You?

13 Those Sweet Words

18 Carnival Town

22 In the Morning

31 Be Here to Love Me

38 Creepin' In

47 Toes

52 Humble Me

59 Above Ground

64 The Long Way Home

69 The Prettiest Thing

75 Don't Miss You At All

ISBN 1-84328-782-X

IMP

International
MUSIC
Publications

International Music Publications Limited
Griffin House 161 Hammersmith Road London W6 8BS England

SUNRISE

Words and Music by NORAH JONES
and LEE ALEXANDER

WHAT AM I TO YOU

Words and Music by
NORAH JONES

THOSE SWEET WORDS

Words and Music by LEE ALEXANDER
and RICHARD JULIAN

CARNIVAL TOWN

Words and Music by NORAH JONES
and LEE ALEXANDER

IN THE MORNING

Written by ADAM LEVY

Slow groove

I can't stop my-self from call-ing, call-ing out __ your name. __

I can't stop my-self from fall-ing, fall-ing back __ a-gain, __ in the morn-

My
girl - friend tried to help __ me to get you off __ of my mind. __

She tried a lit - tle tea and sym - pa - thy to get me to __ un - wind. __ In the morn -

- ing, _____ ba - by, in __ the __ af -

Bb7   Bb7sus

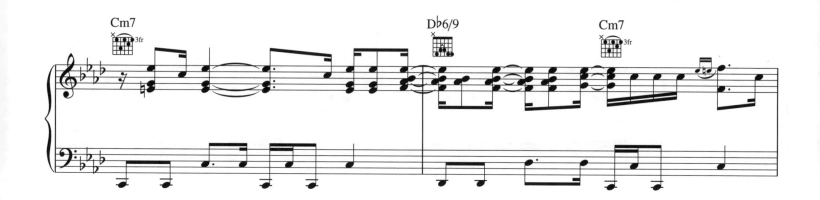

I can't stop my - self from call - ing, call - ing out __ your name. __

I can't stop my - self from fall - ing, fall - ing back __ a - gain. __

Fall - ing back __ a - gain, __ fall - ing back __ a - gain. __

Fall - ing back __ a - gain; __ fall - ing back __ a - gain. __

fall - ing back __ a - gain, __ in the morn - ing. __

BE HERE TO LOVE ME

Written by TOWNES VAN ZANDT

Your eyes seek con - clu - sion in all this con -
Chil - dren are danc - in'; the gam - blers are

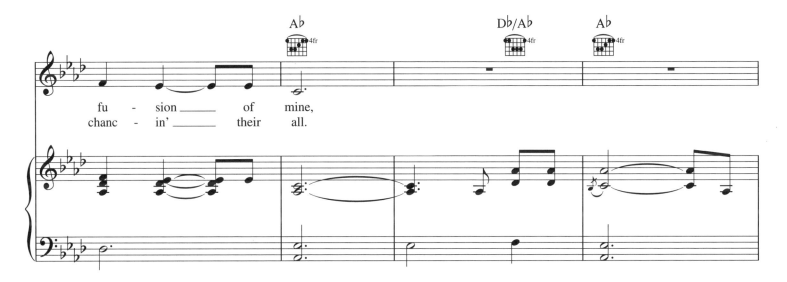

fu - sion of mine,
chanc - in' their all.

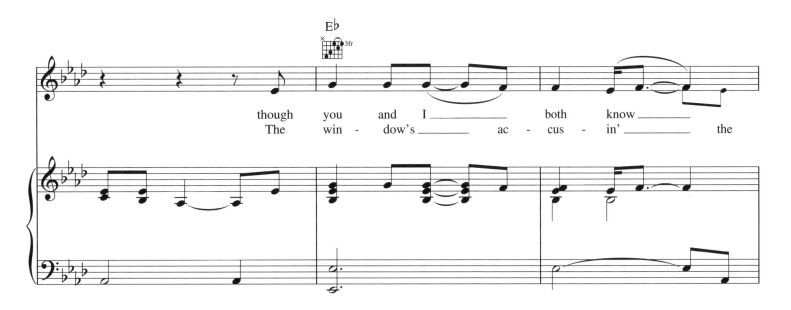

though you and I both know
The win - dow's ac - cus - in' the

it's on - ly ____ the warm ____ glow ____ of wine _____
door ____ of a - bus - in' _____ the wall. _____

But who
that's

got you ____ to feel - in' this way;
cares ____ what the night watch - men say;

but I
the

don't care, I want you _____ to stay
stage ____ has been set for _____ the play.

So just to } hold me _____ and tell _____ me _____ you'll

be here _____ to love me _____ to - day.

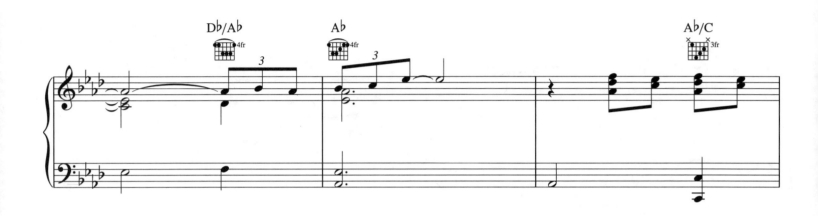

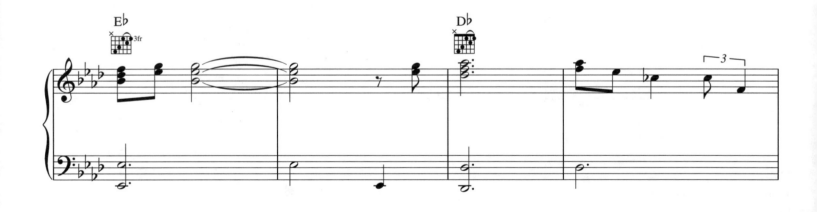

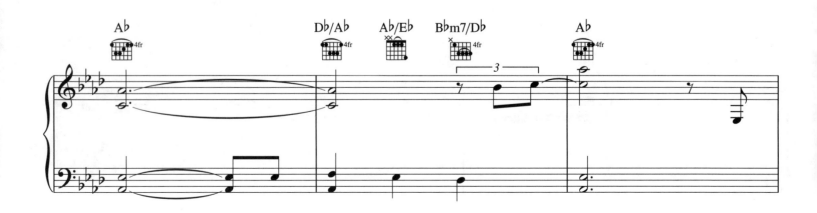

The moon's come ___ and gone, but a few stars ___ hang on - to the sky.

Well, the wind's run - nin' free, but it ain't up ___ to me to ask why.

CREEPIN' IN

Words and Music by
LEE ALEXANDER

And once it has be - gun, _____ it won't

stop un - til it's done _____ sneak - in' in. _____

To Coda ⊕

There's a sil - ver moon _____

that came a lit - tle _____ too

TOES

Words and Music by NORAH JONES
and LEE ALEXANDER

The cur - rent is strong, from what I've heard; ___
I day - dreamed on the bank a - gain; ___

it - 'll whisk you down ___ the stream. ___
I was swim - ming with ___ the fish. ___

But I nev -
And I thought ___

HUMBLE ME

Words and Music by
KEVIN BREIT

Original key: B major. This edition has been transposed up one half-step to be more playable.

please, please, please, for - give me.

ABOVE GROUND

Written by ANDREW BORGER
and DARU ODA

LONG WAY HOME

Words and Music by KATHLEEN BRENNAN
and TOM WAITS

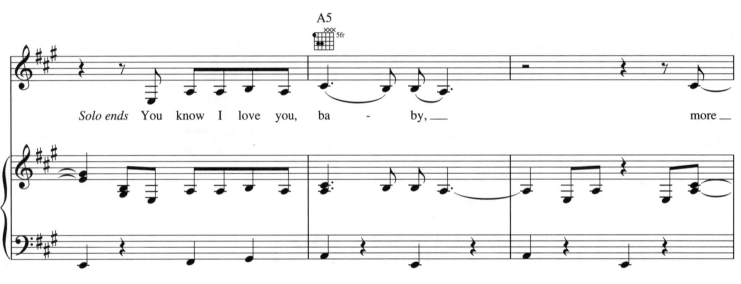

Solo ends You know I love you, ba - by, ___ more ___

___ than the whole ___ wide ___ world.　　　I'm your wom - an; ___

THE PRETTIEST THING

Words and Music by NORAH JONES,
LEE ALEXANDER and RICHARD JULIAN

Slowly

The pret - ti - est

thing I ev - er did see was
seem like a pic - ture that's

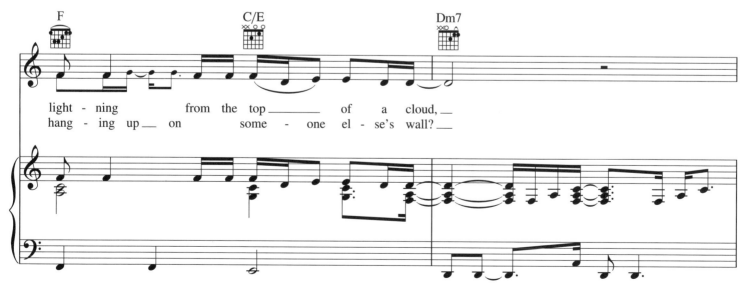

light - ning from the top ___ of a cloud, ___
hang - ing up ___ on some - one el - se's wall? ___

DON'T MISS YOU AT ALL

Words by NORAH JONES
Music by DUKE ELLINGTON

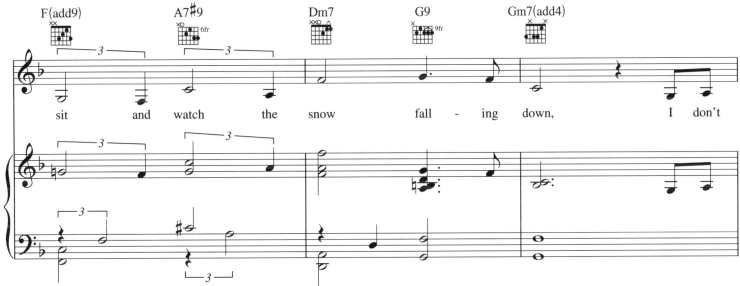